Elle travaille très fort
au magasin.

Voilà Fraisinette.
Elle a besoin de vaisselle
pour le café.

# Un nouveau style !

Publié par Presses Aventure, une division de
**Les Publications Modus Vivendi Inc.**
55, rue Jean-Talon Ouest, 2e étage
Montréal (Québec) H2R 2W8
CANADA
www.groupemodus.com

Publié pour la première fois en 2013 par Penguin Group sous le titre original *A Brand-New Look!*

Éditeur : Marc Alain
Traduit de l'anglais par Karine Blanchard

Dépôt légal — Bibliothèque et Archives nationales du Québec, 2013
Dépôt légal — Bibliothèque et Archives Canada, 2013

ISBN 978-2-89660-589-7



Nous reconnaissons l'aide financière du gouvernement du Canada par l'entremise du Fonds du livre du Canada pour nos activités d'édition.

Gouvernement du Québec — Programme de crédit d'impôt pour l'édition de livres — Gestion SODEC

**Imprimé en Chine**

# Un nouveau style !

Par Lana Jacobs

Illustré par MJ Illustrations

Mandarine adore
travailler au magasin.

Mandarine voit la vaisselle juste là.

Oh, non !
La vaisselle n'est pas
à cet endroit.

Mandarine n'a pas vu la vaisselle.
La vaisselle était juste devant elle.

Voilà Citronette qui arrive.

Elle a beaucoup de choses à acheter !

Oh, oh !
Mandarine a fait une erreur.
Mandarine n'a pas su lire
les prix.

Mandarine s'est trompée
en préparant la facture
de Citronette.
Mandarine doit tout
recommencer.

Mandarine est triste.
Pourquoi fait-elle autant d'erreurs ?

Monsieur Lachenille a une idée.

Mandarine fait des erreurs
parce qu'elle ne voit pas bien.
Mandarine a besoin de lunettes !

Mandarine ne veut pas en porter.
Que vont penser ses amies ?

Fraisinette rencontre
Mandarine.
Mandarine a l'air triste.
Mandarine lui dit qu'elle
a besoin de lunettes.

Fraisinette tente de la rassurer.
Mais Mandarine est toujours triste.

Fraisinette a une idée !
Elle court la confier à ses amies.

Elles vont travailler ensemble pour aider Mandarine.

Framboisine donne à chacune de nouveaux vêtements. Citronette coiffe toutes les filles d'une étrange façon.

Les filles ont chacune
un style très rigolo.
C'est le moment d'aller
voir Mandarine.

Mandarine sourit quand
elle voit Framboisine.

Framboisine a vraiment une allure cocasse !

Mandarine sourit quand elle voit Fraisinette.

Fraisinette a vraiment un style amusant !

Mandarine comprend pourquoi les filles ont fait ça.
Son style n'a pas d'importance pour ses amies.

Les filles l'aiment parce qu'elle est une bonne amie.

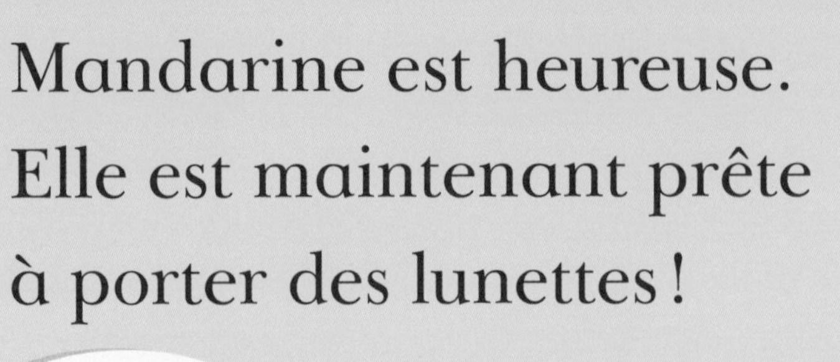

Mandarine est heureuse.
Elle est maintenant prête
à porter des lunettes !

# Un nouveau style !

Oh, non !

Mandarine doit porter des lunettes.

Elle est inquiète.

Ses amies vont-elles aimer son nouveau style ?

**APPRENDRE À LIRE, ÉTAPE PAR ÉTAPE !**

**JE DÉCOUVRE LA LECTURE**

**Pour les enfants qui connaissent l'alphabet et qui veulent apprendre à lire.**

**JE LIS ACCOMPAGNÉ**

- un vocabulaire simple
- des phrases courtes
- des histoires simples

**Pour les petits qui reconnaissent des mots et en lisent de nouveaux avec de l'aide.**

**JE LIS SEUL**

**Pour les enfants qui sont prêts à lire seuls.**



ISBN 978-2-89660-58

une division de
**www.groupemodus.com**

ding God's
ength
Life's
allenges

# VING IN
# D'S POWER

**SIX** SESSIONS

ously published as
*coming*

DERVAN

BILL HYBELS

WITH KEVIN AND SHERRY HARNEY